Irina Korschunow
Der Findefuchs

Irina Korschunow stammt aus einer deutsch-russischen Familie. Sie ist in Stendal geboren und aufgewachsen, hat Germanistik in Göttingen studiert und lebt heute bei München. Als Kinderbuchautorin wurde sie zunächst durch ihre ›Wawuschel‹-Bände bekannt. Neben weiteren Kinderbüchern, u. a. ›Hanno malt sich einen Drachen‹ und ›Wuschelbär‹, schrieb sie auch drei sehr erfolgreiche Jugendbücher, die zeitnahe Probleme behandeln: ›Er hieß Jan‹, ›Die Sache mit Christoph‹ und ›Ein Anruf von Sebastian‹. Viele Bücher der häufig ausgezeichneten Autorin standen in der Auswahlliste zum Deutschen Jugendliteraturpreis. In letzter Zeit ist Irina Korschunow besonders durch Bücher für Erwachsene hervorgetreten. Für ihr Gesamtwerk erhielt sie die Roswitha-Gedenkmedaille, den Literaturpreis der Stadt Gandersheim.

© Brigitte Friedrich

Weitere Titel von Irina Korschunow bei dtv junior: siehe Seite 4

Reinhard Michl wurde 1948 in Niederbayern geboren. Nach einer Schriftsetzerlehre studierte er in München an der Akademie der Bildenden Künste. Als Buchillustrator und Bilderbuchmaler hat er sich international einen Namen gemacht. Seine Arbeiten wurden vielfach ausgezeichnet, einige der von ihm illustrierten Bücher standen in der Auswahlliste zum Deutschen Jugendliteraturpreis. Bei dtv junior erschienen mit seinen Illustrationen u. a. ›Es muss auch kleine Riesen geben‹ (Text: Irina Korschunow, dtv junior 75050), ›Es klopft bei Wanja in der Nacht‹ (Text: Tilde Michels, dtv junior 7986) und ›Der Junge und der Bär‹ (Text: Harriet Graham, dtv junior 70442).

© Thomas Höhne

Irina Korschunow

Der Findefuchs

Wie der kleine Fuchs
eine Mutter bekam

Mit Bildern von Reinhard Michl

Deutscher Taschenbuch Verlag

Lizenzausgaben dieses Bandes sind auch in Dänemark, Frankreich,
Italien, Großbritannien, den Niederlanden, Schweden, Finnland,
Spanien, der Tschechischen Republik, Bulgarien, Griechenland,
USA, Kanada, Kolumbien und Japan erschienen.

Zu diesem Band gibt es ein Unterrichtsmodell, enthalten in
LESEN IN DER SCHULE (Primarstufe), unter der Bestellnummer 8101
durch den Buchhandel oder den Verlag zu beziehen.

Von Irina Korschunow sind außerdem bei dtv junior lieferbar:
Hanno malt sich einen Drachen, dtv junior Lesebär 7561
Für Steffi fängt die Schule an, dtv junior Lesebär 7558
Kleiner Pelz, dtv junior Lesebär 75053
Kleiner Pelz will größer werden, dtv junior Lesebär 75003
Wuschelbär, dtv junior 7598
Maxi will ein Pferd besuchen, dtv junior Lesebär 75022
Es muss auch kleine Riesen geben, dtv junior Lesebär 75050
Die Wawuschels mit den grünen Haaren, dtv junior 7164
Neues von den Wawuschels mit den grünen Haaren,
dtv junior 70003
Steffi und Muckel Schlappohr, dtv junior 70486
Die Sache mit Christoph, dtv pocket 7811
Er hieß Jan, dtv pocket 7823
Ein Anruf von Sebastian, dtv pocket 7847
…und bei dtv: Glück hat seinen Preis, dtv 10591

Originalausgabe
Bearbeitete Neuausgabe nach den Regeln der Rechtschreibreform
21. Auflage August 1999
© 1982 Deutscher Taschenbuch Verlag GmbH & Co. KG, München
Umschlagkonzept: Balk & Brumshagen
Umschlagbild: Reinhard Michl
Gesetzt aus der Garamond 17/20
Gesamtherstellung: Kösel, Kempten
Printed in Germany · ISBN 3-423-07570-8

Der kleine Fuchs ist allein

Der kleine Fuchs lag ganz allein
im Gebüsch und fürchtete sich.
Er wartete auf seine Mutter.

Aber seine Mutter konnte nicht
kommen. Der Jäger hatte sie
totgeschossen.
Die Zeit verging. Es begann
zu regnen und der kleine Fuchs
fürchtete sich immer mehr.
Er fror. Er hatte Hunger.
Er winselte und weinte.
Da kam eine Füchsin vorbei. Sie
hörte, wie der kleine Fuchs winselte.
Eigentlich wollte sie weiterlaufen.
Sie hatte drei Kinder zu Hause
in ihrem Bau, die warteten auf sie.
Doch weil der kleine Fuchs
so jammerte, kroch sie zu ihm
ins Gebüsch.
»Was ist denn los mit dir?«,
fragte die Füchsin und stupste

mit der Pfote gegen seinen Kopf.
Der kleine Fuchs winselte
noch lauter.
Er winselte, wie kleine Füchse

winseln, wenn sie Hunger haben.
»Warum liegst du ganz allein hier
im Busch?«, fragte die Füchsin
und wunderte sich.
»Hast du keine Mutter mehr?«
Sie beugte sich über den
kleinen Fuchs und schnüffelte.
Er roch, wie kleine Füchse riechen.
Er war weich und wollig,
wie kleine Füchse sind.
»Armer kleiner Findefuchs«,
sagte die Füchsin und strich
mit der Pfote über sein Fell.
Der kleine Fuchs hörte auf
zu winseln.
Die Füchsin roch fast
wie seine Mutter.
Sie war auch genauso warm.

Er kroch an ihren Bauch
und suchte nach der Milch.
Die Füchsin wich zurück.
Der kleine Fuchs war nicht ihr Kind.
Sie hatte ihn nicht zur Welt
gebracht. Sie musste für ihre
drei eigenen Kinder sorgen.
Der kleine Fuchs fing wieder an
zu winseln. Die Füchsin sah,
wie er vor Kälte zitterte.
Da ging sie nicht fort. Sie legte
sich neben ihn um ihn
zu wärmen. Der kleine Fuchs
kuschelte sich in ihr Fell.
Er fand die Milch und trank.
Er schmatzte
und gluckste
und schluckte

und hörte gar nicht wieder auf.
»Trink nur, kleiner Findefuchs«,
sagte die Füchsin.
»Trink dich satt.«

Der Hund

Als der kleine Fuchs genug
getrunken hatte, schlief er ein.
Die Füchsin lag immer noch
neben ihm. Sie freute sich,
dass der Findefuchs satt
und zufrieden war.
Vielleicht kommt seine Mutter
bald zurück, dachte sie.
Aber die Mutter kam nicht.
Schließlich stand die Füchsin auf.
Sie hatte keine Zeit mehr. Sie musste
nach Hause zu ihren Kindern.
»Schlaf weiter, Findefuchs«,
sagte sie und wollte aus
dem Gebüsch schlüpfen.

Doch dann blieb sie stehen.
Sie stand da und sah
den kleinen Fuchs an.
Sie konnte ihn nicht so allein
im Gebüsch liegen lassen.
Sie hatte ihn gewärmt.
Sie hatte ihm zu trinken gegeben.
Sie wollte ihn mitnehmen.
Vorsichtig packte sie ihn
mit den Zähnen. Der kleine Fuchs
wachte auf und winselte leise.
Die Füchsin fuhr mit der Zunge
über seinen Kopf.
»Hab keine Angst, mein Findefuchs«,
sagte sie. »Wir gehen nach Hause.«
Mit dem kleinen Fuchs
in der Schnauze machte sie
sich auf den Weg.

Sie hatte es nicht mehr weit
bis zu ihrem Bau.
Es war Nachmittag und still
zwischen den Bäumen.
Doch plötzlich blieb die Füchsin
stehen und horchte.

15

Irgendwo bellte ein Hund.
Der Hund vom Jäger.
Er bellte und kam näher.
Die Füchsin erschrak.
Sie kannte den Hund.
Er witterte die Spuren der Füchse
und folgte ihnen.
Er packte sie.
Er hielt sie fest.
Er konnte einen Fuchs sogar töten.
Und jetzt war er hinter ihr her.
»Fuchs! Fuchs! Fuchs!«,
bellte der Hund.
»Fuchs! Fuchs! Fuchs!«
Die Füchsin floh.
Sie hetzte durch den Wald
und versuchte
den Hund abzuschütteln.

Aber sie trug den kleinen Fuchs
und war nicht so schnell wie sonst.
Der Hund kam immer
näher heran.

Die Füchsin hatte große Angst.
Sie dachte an die scharfen Zähne
des Hundes.
Sie dachte an die vielen Füchse,
die er schon gefasst hatte.
Sie wollte den kleinen Fuchs
fallen lassen und
ihr eigenes Leben retten.
Doch sie tat es nicht.
Sie hielt den kleinen Fuchs fest
und lief und lief.
Sie lief kreuz und quer
durch den Wald.
Der Hund rannte hinter ihr her.
Sie keuchte, sie hechelte,
sie bekam kaum noch Luft.
Aber den kleinen Fuchs ließ
sie nicht los.

Noch einmal schlug sie
einen Haken.
Sie witterte Wasser, lief weiter
und stand vor einem breiten Bach.
Mit einem Satz sprang sie hinein,
watete ein Stück im Bachbett
entlang und schwamm
ans andere Ufer.
Dort versteckte sie sich
im Gebüsch.
Sie konnte nicht mehr laufen.
Sie legte sich hin
und wartete auf den Hund.
Da kam er auch schon.
Drüben am Ufer suchte er
nach der Füchsin.
Er knurrte wütend,
er bellte, er schnüffelte.

Aber die Spur fand er nicht.
Das Wasser hatte sie ausgelöscht.
Ein paar Mal lief der Hund noch
am Bach hin und her.
Dann machte er kehrt
und verschwand im Wald.
Die Füchsin lag im Gebüsch
und horchte.
Das Bellen wurde leiser,
immer leiser, bis es verstummte.
»Wir sind gerettet, mein Findefuchs«,
keuchte sie und ließ
den kleinen Fuchs ins Gras fallen.
Er kuschelte sich an sie
und fing gleich an zu trinken.
Die Füchsin legte den Kopf
auf die Pfoten.
Sie musste sich eine Weile ausruhen,

bevor sie weiterlaufen konnte.
»Komm, mein Findefuchs«,
sagte sie schließlich.
»Wir müssen nach Hause.«

Der Dachs

Inzwischen war es spät geworden.
Mit dem kleinen Fuchs
in der Schnauze lief die Füchsin
durch die Dämmerung.
Es dauerte lange,
bis sie nach Hause kam.
Da begegnete ihr der Dachs.

Der Dachs blieb stehen.
Er starrte die Füchsin
und den kleinen Fuchs an und fragte:
»Was schleppst du denn heute
mit dir herum?«
Die Füchsin wollte weitergehen.
Aber der Dachs versperrte ihr
den Weg und fragte noch einmal:
»Was du da herumschleppst,
will ich wissen!«

Die Füchsin legte den kleinen Fuchs
ins Gras und stellte sich über ihn.
Dann hob sie den Kopf
und zeigte dem Dachs die Zähne.
»Das ist mein Findefuchs«, sagte sie.
»Ein Findefuchs?«, rief der Dachs.
»Was willst du mit einem
Findefuchs? Du hast doch schon
drei Kinder. Gib den
Findefuchs mir, ich will
ihn fressen.«

»Verschwinde, Dachs!«, knurrte
die Füchsin. »Meinen Findefuchs
will ich behalten. Ich habe ihm
zu trinken gegeben und ihn
gewärmt. Ich bin mit ihm
vor dem Hund des Jägers geflohen

und habe ihn bis hierher getragen.
Mein Findefuchs gehört mir.«
»Und ich will ihn fressen«,
zischte der Dachs
und sprang auf die Füchsin zu.
Die Füchsin schlug ihm
mit der Pfote übers Gesicht,
einmal und noch einmal.
Der Dachs fauchte. Er fletschte
die Zähne und duckte sich
wieder zum Sprung.
Er war stark und schnell.
Aber auch die Füchsin war stark.
Weil sie um ihren Findefuchs
kämpfte, war sie noch
stärker als sonst.
Sie kämpfte mit Krallen und Zähnen.
Der Dachs biss sie in die Schulter

und schlug ihr eine Schramme
in die Schnauze.
Die Füchsin merkte es kaum.
Sie dachte an ihren Findefuchs
und kämpfte, bis der Dachs
genug hatte.
»Behalte deinen Findefuchs«,
zischte er und rannte davon.
Die Füchsin lachte hinter ihm her.
»Friss Schnecken und Spinnen«,
rief sie, »das ist das richtige
Futter für dich.«
Dann hörte sie, wie
der kleine Fuchs winselte.
Sie beugte sich über ihn
und leckte seinen Kopf.
»Es wird alles gut,
mein Findefuchs«, sagte sie.

»Wir sind gleich zu Hause.«
Sie packte den kleinen Fuchs,
lief zu ihrem Bau
und schlüpfte hinein.

Die Fuchskinder

»Da bin ich wieder«, sagte
die Füchsin.
Die drei Fuchskinder fiepten
vor Freude.
Hungrig krochen sie zu
ihrer Mutter und wollten trinken.
Die Füchsin legte den kleinen
Fuchs mitten zwischen
ihre Kinder.
»Ich habe euch etwas mitgebracht«,
sagte sie.
Der kleine Fuchs sah
die Fuchskinder an
und winselte ängstlich.
Die Fuchskinder winselten auch.

»Das ist der Findefuchs.
Er gehört jetzt zu uns«,
sagte die Füchsin und fuhr
allen vier Kindern mit der Zunge
über die Köpfe.
Die drei Kinder beschnüffelten den
kleinen Fuchs.

Sie beschnüffelten ihn
von oben bis unten.
Er roch genau wie ihre Mutter
und ihre Angst verschwand.
Der kleine Fuchs
schnüffelte ebenfalls.
Er beschnüffelte ein Fuchskind
nach dem anderen.
Jedes roch wie die Füchsin
und auch der kleine Fuchs
hatte keine Angst mehr.
»Hört auf mit der Schnüffelei«,
sagte die Füchsin. »Trinkt lieber.«
Da kuschelten sich
die vier kleinen
Füchse an ihren Bauch
und tranken sich satt.
Später spielten sie zusammen.

Sie spielten Anschleichen und
Weglaufen. Sie spielten Fangen
und Verstecken. Sie spielten
Knurren und Fauchen und
Pfotenschlagen und Zähnefletschen.
Die Füchsin sah ihnen zu.
Sie leckte ihre Wunden
und freute sich über die Kinder.

Die Nachbarin

Am nächsten Tag schlüpfte
die Füchsin wieder aus dem Bau.
Sie wollte zur Jagd gehen. Vor dem
Eingang traf sie ihre Nachbarin.

»Ich habe gehört, du hast mit
dem Dachs gekämpft«, sagte die
Nachbarin. »Tut die Schulter
noch weh?«
»Halb so schlimm«, sagte
die Füchsin.
»Wie geht es deinen drei Kindern?«,
fragte die Nachbarin.
»Danke, es geht ihnen gut«,
sagte die Füchsin. »Sie trinken
und spielen und werden größer.
Aber es sind nicht drei.
Es sind vier.«
»Vier?«, fragte verwundert
die Nachbarin. »Seltsam.
Gestern waren es noch drei.«
»Ich habe ein viertes dazu
bekommen«, sagte die Füchsin.

»Einen kleinen Findefuchs.«

»Das habe ich schon gehört«,
sagte die Nachbarin.

»Willst du ihn etwa behalten?
Wer drei Kinder hat,
braucht keinen Findefuchs.«

»Ob ich ihn brauche oder nicht,
ist mir egal«, sagte die Füchsin.

»Ich habe ihn gewärmt
und ihm zu trinken gegeben.
Ich habe ihn durch den Wald
geschleppt. Ich bin mit ihm
vor dem Hund geflohen
und musste sogar mit dem Dachs
kämpfen. Mein Findefuchs
soll bei mir bleiben.«

»Du bist dumm«, sagte
die Nachbarin. »Deine Kinder

werden größer. Bald wollen sie
Fleisch fressen. Willst du etwa
für ein fremdes Kind auf die
Jagd gehen?«
»Wo drei Kinder satt werden«,
sagte die Füchsin, »langt es auch
für ein viertes. Lass mich in Ruhe
mit deinem Geschwätz.«

Die Nachbarin schüttelte den Kopf.
»Dir kann man nicht helfen«,
sagte sie. »Was ist denn
eigentlich so Besonderes
an deinem Findefuchs?«
»Besonderes?«
Die Füchsin dachte nach.
Ihr fiel nichts Besonderes ein.
»Ich weiß nicht«, sagte sie.
»Warte, ich zeige ihn dir.«

Der kleine Fuchs
hat eine Mutter

Die Füchsin schlüpfte in den Bau
um den Findefuchs zu holen.
Doch sie konnte ihn
nicht mehr herausfinden.
Sie sah das erste Kind an.
Sie sah das zweite Kind an.
Sie sah das dritte
und das vierte Kind an.

Alle sahen wie ihre kleinen Füchse aus.
Sie beschnüffelte
eins nach dem anderen,
das erste Kind,
das zweite Kind,
das dritte und das vierte.
Alle rochen gleich. Jedes konnte
der Findefuchs sein oder nicht.
»Komm her, mein Findefuchs«,
lockte sie.
Da kamen alle vier Fuchskinder
angekrochen
und kuschelten sich
in ihr Fell.
Die Füchsin steckte den Kopf
aus dem Bau.
»Es tut mir Leid, ich kann dir
den Findefuchs nicht zeigen«,

sagte sie. »Ich habe keine Ahnung,
wer von meinen Kindern
der Findefuchs ist.«
»Wie schrecklich!«, rief
die Nachbarin.
Die Füchsin musste lachen.
»Das ist doch nicht schrecklich«,
sagte sie. »Ich habe alle vier
gleich lieb und darauf
kommt es an.«
»So?«, sagte die Nachbarin.
»Vielleicht hast du Recht.
Ich muss darüber nachdenken.«
Von da an war
der kleine Fuchs
kein Findefuchs mehr.
Er war das Kind der Füchsin
und die Füchsin war seine Mutter.

Sie gab ihm zu essen
und zu trinken.
Sie beschützte ihn.
Sie brachte ihm bei,
was ein Fuchs wissen muss.
Die Füchsin und der kleine Fuchs
gehörten zusammen.
Er blieb bei ihr, bis er
für sich selbst sorgen konnte, so,
wie es bei den Füchsen
üblich ist.